K-pop

글 강진희

대학에서 문예창작과를 졸업한 뒤 방송 작가를 거쳐,
지금은 어린이를 위한 재미있는 콘텐츠를 만들고 있습니다.
주요 작품으로 《who? 스페셜 – 손흥민》 등이 있습니다.

그림 이혜진

세상의 이야기를 밝고 아름다운 그림으로 전하는 전문 일러스트레이터입니다.
어린이들에게는 재미있고 흥미진진한 만화로 학습의 장을 만들어 주고
더 나아가 사람들에게는 유익한 소통의 창구가 되는 다양한 작품 활동을 하고 있습니다.

 **K-pop**

BTS

초판 1쇄 발행 2020년 1월 8일
초판 5쇄 발행 2020년 10월 30일

글 강진희 **그림** 이혜진

펴낸이 김선식
펴낸곳 (주)스튜디오다산

경영총괄 김은영
콘텐츠개발본부장 채정은 **콘텐츠개발 1팀** 심희정 전희선 권유선 남정임 최서원
마케팅사업본부장 도건홍 **마케팅 1팀** 오하나 유영은 **마케팅 2팀** 안지혜 이소영 **마케팅 3팀** 안호성
영업본부장 오선희 **영업팀** 이선희 조지영 강민재
저작권팀 한승빈 김재원
경영관리본부 허대우 하미선 박상민 김형준 김민아 이소희 최완규 이우철

북디자인 포맷 박연주

출판등록 2013년 11월 1일 제406-2013-000112호
주소 경기도 파주시 회동길 357 2층 **전화** 02-703-1723 **팩스** 070-8233-1727
다산어린이 공식 카페 cafe.naver.com/dasankids **who? 시리즈몰** www.whomall.co.kr
종이 · 인쇄 · 제본 상림문화

ISBN 979-11-5639-826-4 14990

 품명: 도서 | **제조자명:** (주)스튜디오다산
제조국명: 대한민국 **전화번호:** 02)703-1723
주소: 경기도 파주시 회동길 357 2층
제조년월: 판권 별도 표기 | **사용연령:** 8세 이상

※ KC마크는 이 제품이 공통안전기준에 적합하였음을
의미합니다.

BTS

세상을 더 나은 곳으로 만든
사람들의 이야기

어린이들은 자라면서 수많은 궁금증을 가지게 됩니다. 그중에서도 "저 사람은 누굴까?"라는 질문은 종종 아이들의 머릿속을 온통 지배해 버리기도 합니다. 다산어린이에서 출간된 《who?》 시리즈는 그런 궁금증을 해결해 주기 위해 지구촌 다양한 분야의 리더들을 소개하고 있습니다.

《who?》 시리즈에 등장하는 인물들은 인종과 성별을 넘어 세상을 더 나은 곳으로 만든 사람들입니다. 어린이들은 이 책에서 디지털 아이콘으로 불리는 스티브 잡스는 물론 니콜라 테슬라와 같은 천재 발명가를 만날 수 있습니다.

책 속 주인공들의 어린 시절 이야기를 통해 기쁨과 슬픔, 도전과 성취감을 함께 맛보고, 그들과 함께 성장하면서 스스로 창조적이고 인류에 도움이 되는 사람이 되겠다는 포부와 자신감을 갖게 될 것입니다.

《who?》 시리즈 속에서 다채롭고 생동감 넘치는 위인들의 이야기를 만나 보세요.

에드워드 슐츠 | 하와이 주립 대학교 언어학부 교수

에드워드 슐츠(Edward J. Shultz) 하와이 주립 대학교 언어학부 교수는 동 대학의 한국학센터 한국학 편집장을 역임한 세계적인 석학입니다. 평화봉사단 활동의 하나로 한국에서 영어 교사로 근무한 경험이 있으며, 현재 한국과 미국, 일본을 오가며 활발한 활동을 펼치고 있습니다. 저서로는 《중세 한국의 학자와 군사령관》, 《김부식과 삼국사기》 등이 있고, 한국 중세사와 정치에 대한 다수의 기고문을 출간했습니다.

미래 설계의 힘을 얻는 길이
여기에 있습니다

어린이가 성장하는 시기에는 스스로 미래를 설계하며 다양한 책을 접하는 경험이 필요합니다. 어린 시절 만난 한 권의 책이 인생에 미치는 영향이 얼마나 큰지는 꿈을 이룬 사람들의 말을 통해서 알 수 있습니다. 빌 게이츠는 오늘날 자신을 만든 것은 동네의 작은 도서관이었다고 말하고, 오프라 윈프리는 어린 시절 유일한 친구는 책이었음을 고백하며 독서의 중요성에 대해 이야기합니다.

꿈을 이룬 사람들의 공통점은 또 있습니다. 그들에게는 어린 시절, 마음속에 품은 롤 모델이 있었습니다. 여러분의 롤 모델은 누구인가요?《who?》시리즈에서는 현재 우리 어린이들이 가장 닮고 싶어 하는 롤 모델을 만날 수 있습니다. 버락 오바마, 빌 게이츠, 조앤 롤링, 스티브 잡스 등 세상을 바꾼 사람들의 감동적인 이야기를 담은《who?》시리즈는 어린이들이 구체적인 목표를 설정하고 희망찬 비전을 세울 수 있도록 도와줄 친구이면서 안내자입니다.《who?》시리즈를 통하여 자신의 인생 모델을 찾고 미래 설계의 힘을 얻을 수 있습니다.

송인섭 | 숙명 여자 대학교 명예 교수, 한국영재교육학회 회장

숙명 여자 대학교 명예 교수이자 한국영재교육학회 회장으로 자기 주도 학습 분야의 최고 권위자입니다. 한국교육심리연구회 회장, 한국교육평가학회장, 한국영재연구원 원장을 역임했습니다. 자기 주도 학습과 영재 교육의 이론을 실제 교육 현장에 적용하기 위해 노력하고 있습니다.

차례

2018년 9월 24일(현지 시간), 미국 뉴욕의 *유엔 본부

* 유엔(UN, 국제연합) 'United Nations'의 약자로, 전쟁 방지와 평화 유지를 위해 설립된 국제 기구

제73차 유엔 정기 총회에서는 유엔과 *유니세프가 공동으로 제안한 '*제너레이션 언리미티드(Generation Unlimited)' 발표 행사가 있었습니다. 이 행사에 청년 세대를 대표하여 방탄소년단이 참석하였습니다.

자, 이제 방탄소년단의 연설이 있겠습니다.

짝 짝 짝

* 유니세프(UNICEF, 유엔 아동 기금) 'United Nations Children's Fund'의 약자로, 전쟁 피해 아동의 구호와 저개발국 아동의 복지 향상을 위해 설치된 국제 연합 특별 기구
* 제너레이션 언리미티드(Generation Unlimited) 10∼24세 청소년과 청년에 대한 투자와 기회를 확대하자는 취지로 마련된 글로벌 파트너십 프로그램

방탄소년단의 리더 RM은 연설을 시작했습니다.

*My name is Kim Nam-joon, also known as RM, the leader of the group BTS. It is an incredible honor to be invited to an occasion with such significance for today's young generation.

Last November, BTS launched the 'LOVE MYSELF' campaign with UNICEF, built on our belief that "true love first begins with loving myself."

We've been partnering with UNICEF's '#ENDviolence' program to protect children and young people all over the world from violence.

* 168~169페이지에서 연설문의 내용을 확인해 보세요.

☆1장

꿈꾸는 일곱 명의 소년들 1

그날 저녁

허락해 주세요, 아빠. 네?

꼭 해야겠니? 길이 평탄하지 않을 텐데……

래퍼가 꿈이라니 진심이니?

단순히 멋있어서 하려는 게 아니에요. 랩을 통해 제 생각을 보이고 싶은 거예요.

알았다. 대신 어떤 어려움이 닥쳐도 포기할 생각은 마라.

네! 명심할게요.

진로를 두고 서로 다른 의견을 보인 RM과 부모님은 오랜 시간 많은 대화를 한 끝에 서로의 의견을 일치시킬 수 있었습니다.

RM은 학업을 충실히 하면서도 자신의 꿈을 위해 연습을 게을리 하지 않았습니다.

내가 하고 싶은 것을 하기 위해선, 우선 지금 나에게 주어진 일을 소홀히 하지 않아야 해.

남준아! 이따가 모여서 게임 하기로 했는데, 올 거지?

오늘은 공연 있는 날이라서 먼저 가 볼게, 미안~

RM은 온라인 힙합 커뮤니티에 자신의 작업물을 올리고는 했습니다.

랩을 너무 잘하는데?

이 실력이 중학생이라는 소문이 있던데? 설마~

가사도 수준급이야!

또한, 중학생 때부터 '런치란다(Runch Randa)'라는 이름의 아마추어 래퍼로
활동하면서 뛰어난 랩 실력으로 주목을 받고 있었습니다.

자, 이제 날 봐.
내가 누구? 란다!
런치란다!

형,
쟤는 누구야?

슬리피 (래퍼)

런치란다라고
아직 중학생인데, 실력이
보통이 아니야. 조금만
더 크면 완전 괴물이
될 거 같아.

중학생밖에
안 됐다고? 아직
꼬맹이인데, 어떻게 저런
깊이 있는 가사와 파워가
나올 수 있지?

당시 언터쳐블이라는 팀의 래퍼로 활동하던 슬리피는 RM의
무대를 보고 충격에 빠졌습니다.

방시혁 (프로듀서 / 빅히트 엔터테인먼트 CEO)

슬리피가 공연장에 갔다가 우연히 본 학생인데, 실력이 심상치 않더라고요.

대표님, 이 친구 좀 보셔야겠어요.

BiG HiT Entertainment

피독 (음악 프로듀서)

대단해! 음을 가지고 노는군! 중학생이 쓴 가사치고는 전혀 유치하지도 않잖아. 오히려 내용에 깊이가 있어!

당장 이 친구에게 연락해 봐!

2006년 광주

호석이가 하고 싶다는데 하게 해 줘야죠!

춤을 배우고 싶다고?

호석아 네가 정말로 춤이 좋다면, 아빠도 이해하실 거야. 네가 하고 싶은 것 마음껏 하렴!

감사해요!

춤을 추고 싶어 하는 아들을 위해 댄스 학원은 보내 줄 수 있어야지!

제이홉의 어머니는 아들을 위해 발 벗고 나섰습니다.

우리 아들~ 파이팅!

엄마…….

서로 다른 곳에서 가수라는 같은 꿈을 꾸었던 세 사람은
빅히트 엔터테인먼트의 연습생이 되어 한곳에서 만나게 되었습니다.

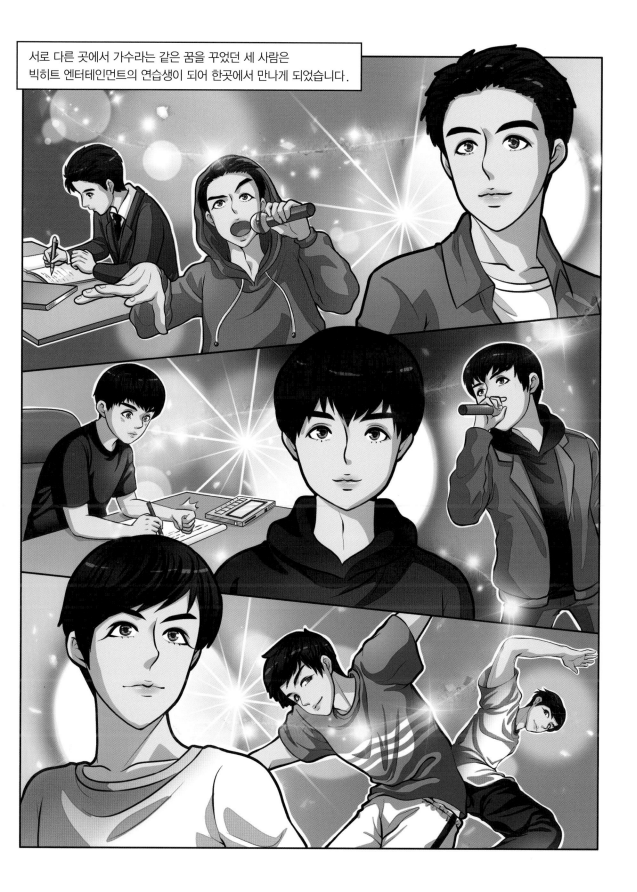

방탄소년단의 콘셉트

음악을 사랑하는 일곱 소년 방탄소년단. 대한민국을 넘어 세계로 뻗어 가는 그 인기는 슈퍼스타라는 말로도 부족할 정도입니다. 방탄소년단의 방탄은 '총알을 막아 낸다'는 뜻입니다. 10대, 20대가 겪는 편견과 억압을 막아 내고 음악적 가치를 지키겠다는 포부를 이름에 담았습니다. 우리의 가슴을 뛰게 하는 방탄소년단의 음악 콘셉트에 대해 알아볼까요?

1. 자신의 목소리를 내다

방탄소년단은 2013년에 데뷔 앨범《2 COOL 4 SKOOL》을 발표한 후 2년에 걸쳐 학교 3부작을 발표합니다. 10대의 꿈, 행복, 사랑 이야기를 담고 있습니다. 데뷔 싱글 앨범의 타이틀곡 'No More Dream' 의 노랫말에는 어른들이 그들의 잣대로 평가할지라도 자신의 꿈을 당당히 말하라며 용기를 주고 있습니다. 미니 앨범 《O!RUL8,2?》에서는 틀에 박힌 교육 현실

학교 3부작 시리즈 중 2부인 'N.O' 무대 ⓒ 연합뉴스

과 억눌린 청소년의 답답한 일상을 보여 줍니다. 이처럼 이들의 음악은 사회의 불합리한 점과 그에 대한 문제의식을 담고 있습니다. 데뷔 전 발표한 믹스 테이프에서는 학교 폭력에 대해 이야기하기도 했습니다. 방탄소년단은 10대가 겪는 현실적인 이야기에 목소리를 냈습니다. 이것은 아이돌 그룹이 좀처럼 시도하지 않는 주제였지요. 이들은 "곡에 우리들의 이야기를 담아내며 진정성 있는 이야기를 하고 싶다."라고 말합니다. 실제로 방탄소년단의 멤버들은 직접 작사·작곡에 참여하고 있습니다.

2. 소년에서 청년으로 성장하다

《WINGS》 발매 기념 기자 간담회 ⓒ 연합뉴스

방탄소년단은 학교 3부작 이후 '화양연화'라는 주제로 팬들에게 돌아왔는데요. 홍콩 왕가위 감독의 영화 제목이기도 한 '화양연화(花樣年華)'는 '인생에서 가장 아름답고 행복한 순간'이라는 뜻입니다. 우리는 그 순간을 청춘이라고 부릅니다. 이들은 청춘을 어떻게 노래할까요.

화양연화 역시 학교 3부작과 같은 연작 형식으로 주제가 이어집니다. 《화양연화 pt.1》에서는 청춘의 아름다움을, 《화양연화 pt.2》에서는 미래에 대한 불안과 위태로운 현실을 담아냅니다. 청년들의 순수한 열정을 이용해 이익을 보려는 열정 페이 그리고 수저 계급론으로 대표되는 사회 불평등과 지역감정 등 20대 이상이 공감할 사회 문화적 문제도 노랫말에 담았습니다.

3. 진정한 나를 찾아가다

2016년 10월 10일 발표한 두 번째 정규 앨범 《WINGS》는 헤르만 헤세의 소설 《데미안》에서 주제를 빌려 옵니다. 성장하는 과정에서 만나는 고통과 유혹의 이야기를 소설 《데미안》과 대입하여 노래합니다. 2019년 4월 13일 발매한 앨범 《MAP OF THE SOUL: PERSONA》는 칼 구스타브 융의 이론에서 영감을 받았습니다. 페르소나(Persona, 가

《MAP OF THE SOUL: PERSONA》의 글로벌 기자 간담회
ⓒ 연합뉴스

면)는 다른 사람들의 눈에 비치는, 실제와는 다른 모습을 뜻합니다. 앨범의 주제는 '나'입니다. 인트로에서 "나는 누구인가."라는 진지한 물음을 던집니다. 그들은 세계적으로 사랑을 받는 아티스트가 된 자신들이 현재의 자리까지 오를 수 있었던 힘은 무엇인지 곰곰이 돌아봅니다. 방탄소년단의 노랫말에서 물음에 대한 힌트를 찾을 수 있을 것 같습니다.

2장

꿈꾸는 일곱 명의 소년들 2

진은 연기자를 꿈꾸며 건국 대학교 연극 영화과에 진학했습니다.

진 (본명: 김석진)

진~짜 잘생겼다!

저 후배, 어제도 길거리 캐스팅 제안받았다던데? 진짜 데뷔하는 거 아냐?

석진아, 너 또 캐스팅당했다며? 연예인 되는 거냐?

진은 눈에 띄는 외모로 길거리 캐스팅 제의를
자주 받았습니다.

아니야. 길거리
캐스팅은 왠지 믿음이
안 가. 사기당하는 경우가
많다고 하잖아.

어머!
너무 잘생겼어.
소지섭을
닮았잖아?

학생!
잠깐만요!

빅히트 엔터테인먼트
신인 개발 팀인데, 잠깐
시간 좀 내 줄 수
있을까요?

사기가 아닐까?

Big Hit
Entertainment

지금요?
친구와 약속이 있어서
곤란한데…….

지금 이대로 간다면,
분명 후회할걸요?

하지만 전 전공도 그렇고, 연기를 했지 가수에 대한 준비를 하지는 않았어요.

도전하지 않는 사람에게 기회는 오지 않아요. 분명, 색다른 자신을 발견하게 될 거예요.

내가 가수를……?

또 다른 나를 찾는 도전이라……!

2011년, 케이블 방송국에서 주최하는 오디션 프로그램
'슈퍼스타K 3'의 전국 오디션이 열렸습니다.

전부 유명한 기획사들이에요. 오디션에서 떨어진 저를 보고 가능성이 있다면서 이걸 주고 가셨어요.

정말이니? 우리 정국이의 숨은 재능을 알아본 것이구나!

어쩌면 좋죠?

너의 가능성을 제대로 열어 줄 곳을 찾아보는 거야.

서울로 올라온 정국은 오디션 때 받은 여러 기획사 중 자신에게 가장 잘 맞는 곳을 찾기 위해 한 곳 한 곳을 방문했습니다.

연습을 하고 있던 RM에게 반한 정국은, 그렇게 빅히트 엔터테인먼트 연습생이 되었습니다.

우아!

지, 진짜 멋있다! 저 형이랑 한 팀이 되고 싶어!

뷔는 색소포니스트가 되기 위해 예술 고등학교 진학 시험을 치렀으나 떨어져 일반 고등학교에 진학했습니다.

그리고 춤을 배우고 싶어 친구들과 함께 방송 댄스 학원에 등록했습니다.

춤추는 것도 재미있는데?

그러던 어느 날

드디어 오늘이다!

Big Hit Global Audition

빅히트 엔터테인먼트라고? 아주 큰 기획사는 아니네?

그래도 연습생으로 들어가는 게 어디냐.

하긴, 요즘 가수가 되려는 사람들이 워낙 많으니.

춤은 너도 잘 추는데, 아쉽다. 우리 다녀올게!

잘들 봐. 응원하고 있을게.

오디션에 붙으면 바로 연습생이 되어 트레이닝을 받겠지? 가수라……

학생은 오디션 안 봐요?

Big Hit Global Audition

소셜 미디어 속 방탄소년단

방탄소년단은 다양한 소셜 미디어를 잘 활용하는 그룹으로 알려져 있습니다. 방탄소년단은 무대뿐만 아니라 소셜 미디어 속에서도 분주합니다. 새 앨범을 준비하는 기간에도 자체로 제작한 영상 콘텐츠를 통해 자신들의 모습을 생생하게 보여 주지요. 이제, 방탄소년단의 영상 콘텐츠를 만날 수 있는 소셜 미디어를 만나볼까요?

1. 유튜브 채널 '방탄 TV'
2012년 12월 유튜브 채널 '방탄 TV(BANGTAN TV)'가 문을 열었습니다. 이곳에서는 방탄소년단이 직접 제작한 콘텐츠와 새로운 소식을 접할 수 있습니다. 2018년 구독자 수는 천만을 달성했고, 총 조회 수는 25억 뷰를 기록하며 글로벌 아티스트 톱 50에 올랐습니다. 조회 수의 94%가 해외에서 이루어질 만큼 전 세계 팬들에게 인기가 높습니다.

방탄 TV에는 다채로운 영상 콘텐츠가 올라옵니다. 그중 슈가가 디제이를 맡아 방송하는 영상 라디오 '꿀 FM 라디오'가 있습니다. 이 영상은 주로 6월 13일 방탄소년단 데뷔 일을 기념하며 공개됩니다.

또한 '방탄 밤(BANGTAN BOMB)'이 있습니다. 이 영상은 무대 밖, 꾸미지 않은 멤버들의 일상을 담고 있습니다. 대기실에게 장난을 치는 장면, 무대 뒤에서 준비하는 모습 등 아이돌의 꾸밈없는 일상을 볼 수 있는 영상입니다. 소셜 미디어를 통해 방탄소년단의 인간미 넘치는 모습을 접한 팬들은 친구 같은 친근감을 느끼게 되었습니다.

2. 커뮤니케이션 앱
'브이라이브(VLIVE)'는 네이버에서 제공하는 글로벌 동영상 서비스로, V앱이라고도 합니다. 실시간으로 방송을 진행해 팬과 직접 소통할 수 있다는 것이 장점입니다. 방탄소년단은 브이라이브를 통해 자체 제작한 예능 프로그램을 선보이고 있습니다.

'달려라 방탄(Run BTS!)'은 방탄소년단이 각본 없이 펼치는 예능 오락 프로그램입니다. 방송이 방영될 때는 실시간으로 시청자 댓글을 남길 수 있습니다. 또한 2016년부터 멤버들의 여행기를 담은 '본보야지(BON VOYAGE)'를 제작하고 있습니다. 이 콘텐츠에서는 노래와 춤을 선보이는 방탄소년단이 아닌 여행을 하며 추억을 만드는 평범한 20대 청년의 모습을 볼 수 있답니다. 2016년 시즌 1은 노르웨이, 핀란드, 스웨덴 3개국을, 2017년 시즌 2는 하와이 그리고 2018년 시즌 3은 몰타를 여행했습니다. 2019년 시즌 4 뉴질랜드부터는 공식 팬 커뮤니티 앱, '위버스(Weverse)'에서 서비스를 제공합니다.

위버스는 전 세계 팬들이 아티스트와 소통하는 글로벌 공식 팬 커뮤니티 앱입니다. 2019년 12월에는 방탄소년단, TXT 그리고 여자친구 세 아티스트의 커뮤니티가 운영되고 있습니다. 자신이 좋아하는 아티스트에게 글을 쓰고 사진을 남길 수 있고, 댓글과 응원하기를 통해 전 세계 팬들과 소통할 수 있습니다. 또한 이곳에서는 아티스트의 일상을 담은 글과 사진도 볼 수 있습니다.

3. 트위터

방탄소년단의 공식 트위터(@BTS_twt)는 팔로워 수 2,000만을 기록했습니다. 세계적인 사랑을 받는 그룹인 만큼 '트위터 최다 활동' 남성 그룹 부문에서 '기네스 세계 기록 2018'에 등재되기도 했습니다.

방탄소년단의 막강한 SNS 영향력의 원천은 헌신적인 팬덤 덕분입니다. 방탄소년단은 "많은 꿈들이 현실이 되었다. 모든 것은 전 세계의 아미 여러분이 있기에 가능했다."라며 영광의 순간마다 아미에 대한 고마움을 잊지 않고 있습니다. 특히 멤버 지민은 상을 받을 때마다 해시태그 '#우리아미상받았네'를 사용하며 팬들에 대한 고마움을 전하고 있습니다.

2,300만 팔로워를 가진 방탄소년단 트위터
ⓒ 방탄소년단 트위터

✰ 3장

흔한 연습생의
하루

음......
연습생들이
데뷔한다면 어떤
이름이 좋을까.
방탄소년단으로
그대로 갈까.

영네이션?

빅키즈?

연습생 아이들과 이야기를
해 보면 다들 또래의 이야기를 하고
싶어 했어. 자신들의 목소리로
자신의 이야기를 하는 거지.

우리의 이야기를
들려줘야 공감할 수
있을 것 같아요.

10대, 20대의
이야기를 주제로 곡을
써 볼까 해요.

연습실

애들아, 우리 한 번만 더 춰 볼까?

호석이는 춤을 정말 잘 춘다니까.

스리, 포. 다시 원, 투~

아! 어렵다!

손성득 (퍼포먼스 디렉터)

잠깐! 그게 아니지!

남준아, 다리에 힘주고 딱 각을 잡아야지.

석진이 형 이렇게 안 돼요? 이렇게 움직여 봐요.

휴, 오늘 안무 연습에다 아르바이트까지 하려니 몸이 뻐근하다.

대구에서 올라와 생활하면서 부모님께 대학 등록금까지 손을 벌릴 수는 없지.

이것까지만 배달하고 빨리 방탄룸으로 가서 작업해야지. 데뷔를 위해!

슈가는 어려운 집안 사정을 생각하며 연습생 생활을 하면서 아르바이트를 병행했습니다.

어어~~???

윤기야! 대체 이게 무슨 일이니! 괜찮니?

아…… PD님.

어깨 부상으로 연습생에서 퇴출되는 건 아닐까?

학비 때문에 아르바이트와 연습생 생활을 병행하다가 그만…….

그럼 말을 했어야지! 학비는 회사에서 지원할 테니 윤기 너는 걱정 말고 치료에 집중하도록 해.

감사합니다.

이대로 포기할 순 없어. 난 꼭 데뷔하고 말 거야!

애들아~ 너네 왜 이렇게 기운이 없어?

아, 형…….

저희 데뷔를 할 수는 있을까요?

최종 데뷔 멤버에서 낙오되는 건 아닐까 불안해요.

우리 모두 데뷔할 수 있을 거야.

걱정 마. 기운 나게 맛있는 밥 먹고 연습하자!

* 2017년 11월 13일, 지향하는 음악에 맞게 랩몬스터에서 RM으로 활동 명을 변경

당시 빅히트 엔터테인먼트는 대형 기획사에 비해 규모가 작았습니다. 방시혁은 경쟁에서 살아남기 위한 고민에 빠졌습니다.

내 손으로 뽑고 키운 소중한 아이들이야. 대형 기획사와 맞서려면 특별한 방법이 필요한데…….

애들아!

이제 방탄소년단 멤버도 확실해졌겠다.

너희가 이야기 하고 싶은 걸 잘 생각해 보고 방탄소년단의 이름으로 데뷔 전에 먼저 보여 주는 거지.

방탄소년단은 SNS 계정을 개설하여 작업물을 올리거나 사람들과 소통하는 장으로 이용했습니다.

八道江山 팔도강산

BTS Rap Monster by Rap Monster

SNS

방탄소년단과 팬이 만나는 곳

방탄소년단과 팬이 가장 기다리는 것은 무엇일까요? 서로를 직접 만나는 시간일 겁니다. 쉴 틈 없이 전 세계를 돌며 팬들에게 완벽한 무대를 선사하는 방탄소년단과 그들에게 보내는 환호와 열광의 현장. 그곳은 방탄소년단이 세계적인 슈퍼스타로 사랑받는 과정을 고스란히 보여 줍니다.

1. 콘서트

악스 홀에서 웸블리 스타디움까지 방탄소년단이 꾸미는 공연장의 크기는 점점 커졌습니다. 방탄소년단의 공연을 보고 싶어 하는 사람들의 수가 세계적으로 많아졌기 때문입니다. 방탄소년단은 2014년 10월 17일부터 3일간 예스24 라이브 홀(구 멜론 악스 홀)에서 '2014 BTS LIVE TRILOGY: EPISODE Ⅱ. THE RED BULLET'을 시작으로 첫 단독 콘

방탄소년단 월드 투어 'LOVE YOURSELF: SPEAK YOURSELF [THE FINAL]' 공연장 모습 ⓒ 연합뉴스

서트를 가졌습니다. 첫 공연은 2,000석 규모로 시작했지요. 2015년 3월에는 두 번째 단독 콘서트 '2015 BTS LIVE TRILOGY: EPISODE I. BTS BEGINS'를 3,000석 규모의 서울 올림픽 공원 올림픽 홀에서 개최했습니다. 세 번째 단독 콘서트는 5,000석 규모의 SK 올림픽 핸드볼 경기장에서 개최했습니다. 그리고 가수라면 꼭 한 번 서 보고 싶어 한다는 1만 석 규모의 올림픽 체조 경기장에서 '2016 BTS LIVE 화양연화 ON STAGE: EPILOGUE' 콘서트를 열게 됩니다. 공연 후 방탄소년단은 "연습생 시절부터 꿈꿔 온 장소"라며 "단계별로 경기장을 거치는 감회가 남다르다."라고 소감을 전했습니다. 2017년에는 2만 4,000석 규모의 서울 고척 스카이 돔에서 '2017 BTS LIVE TRILOGY: EPISODE Ⅲ. THE WINGS TOUR'를 열어 팬들을 만났습니다.

2. 세계를 뒤흔드는 월드 투어

방탄소년단은 월드 투어 'LOVE YOURSELF'로 역사적인 기록을 세웠습니다. 2018년부터 1년 2개월간 전 세계에서 62회 공연으로 206만여 명의 팬들과 만났습니다. 또한 마돈나, 콜드플레이, 비욘세 등 정상급 아티스트들만이 진행한 스타디움 투어를 한국 아티스트 최초로 진행했습니다. 로스앤젤레스의 '로즈볼 스타디움', 상파울루의 '알리안츠 파르키', 런던의 '웸블리 스타디움', 파리의 '스타 드 프랑스' 그리고 한국

보라색으로 물든 방탄소년단의 공연장
ⓒ 연합뉴스

의 '잠실 올림픽 주 경기장' 등에서 공연했고 전 세계 수백만 명의 팬들이 스타디움을 가득 메웠습니다. 방탄소년단에게 보내는 거대한 환호와 함성은 세계를 뒤흔들었습니다.

'BTS 5TH MUSTER [MAGIC SHOP]'
서울 공연장의 플래그 ⓒ 김밥

3. 팬 미팅

방탄소년단의 팬클럽 명칭은 '아미(군대)'입니다. 방탄복과 군대처럼 항상 함께한다는 뜻을 지니고 있습니다. 방탄소년단의 팬미팅은 '머스터(Muster: 병사들을 소집하다는 의미)'라고 부릅니다. 2014년 3월 29일 3천 명이 모여 팬클럽 창단식 '2014 BTS: 1st Fan Meeting MUSTER'가 열렸습니다. 2016년에는 'BTS MUSTER [ZIP CODE: 22920]'과 'BTS 3RD MUSTER [ARMY.ZIP+]' 두 번의 팬미팅이 열렸습니다. 네 번째 팬미팅은 'BTS 4TH MUSTER [Happy Ever After]'로 2018년 1월에 고척 스카이 돔에서 열렸고, 'Best of Me'의 무대가 최초로 공개되면서 아미들의 큰 호응을 이끌어 냈습니다. 다섯 번째 팬미팅은 'BTS 5TH MUSTER [MAGIC SHOP]'으로 2019년 6월에 서울과 부산에서 열렸습니다. 방탄소년단의 곡 'Magic Shop'을 모티브로 꾸민 공연입니다. 방탄소년단은 팬미팅을 통해 아미와의 추억을 하나씩 쌓아 가고 있습니다.

⭐ 4장

데뷔를 위한 피, 땀, 눈물

얘들아, 이것 좀 봐 봐. 너무 공감 가는 내용이지 않아?

신년특집 SBS 스페셜 3부작

학교의 눈물

2013년 1월 13일부터 3주 동안 방영된 '학교의 눈물'은 우리나라 학교 폭력의 실상과 그 원인을 분석하며 학교 폭력이 없는 나라를 만들기 위해 만들어진 3부작 다큐멘터리였습니다.

자퇴서

멤버들은 다큐멘터리를 본 뒤 10대들을 위한 음악을 만들기 시작했습니다.

학교는 전쟁터······ 가해자, 피해자, 아니면 모두 방관자.

그리고 2013년 1월, '학교의 눈물'이라는 *믹스 테이프를 발표했습니다.

* **믹스 테이프** CD나 음원 유통 사이트가 아닌 온라인 상에서 무료로 공개되는 노래나 앨범으로, 주로 힙합이나 알 앤 비 뮤지션들이 이용하는 방식

'학교의 눈물'은 많은 청소년들의 공감을 샀으며, 동시에 방탄소년단의 음악성을 알리는 데 많은 도움이 되었습니다.

곧 데뷔한다는 그룹의 음악이에요?

그래. 음악이 방탄소년단이라는 이름에 딱 맞지 않나? 학교 문제나 청소년들의 현실을 대변하는 콘셉트거든.

그런 콘셉트는 1990년대에나 유행했지, 요즘 시대엔 좀 안 맞지 않아요?

내 생각은 달라. 처음엔 낯설지 몰라도 분명 공감해 줄 거라 믿어.

방탄소년단은 그런 아이돌에 대한 편견을 깨 줄 거야.

요즘 아이돌들은 발랄하고 애정 표현이 적극적인 노래를 주로 부르잖아요.

데뷔를 향한 고된 연습은 계속되었습니다. 연습 후에는 운동을 하며 체력을 키웠습니다.

멤버들은 연습 중간중간 음악을 만들거나 춤 연습 장면, 멤버들의 이야기 등이
담긴 동영상을 찍어 꾸준히 업로드를 했습니다.

우아,
이거 진짜 우리
트위터 맞아?

팔로워
1,200

한 달 사이에
팔로워가 천 명이나
늘었네!
벌써 1,200명!

더 힘내자고요!

형들은 참 멋지고 능력이 많은데 전 점점 자신감이 없어져요.

그럼! 태형이 널 포함해서 우리 모두 사랑받을 수 있을 거야.

데뷔하면 저도 사랑받을 수 있을까요?

시작은 미약할지라도 끝은 창대할 거야.

태형이가 얼마나 매력 부잔데!

그럼 음악 작업에 더 집중해 볼까? 팬들의 기대를 저버리지 않도록 말이야.

방탄소년단의 SNS 활동들은 정식 데뷔를 하기 전부터 그들의 팬층을 만들어 주었습니다.

방탄소년단 멤버들은 정식 데뷔를 앞두고
데뷔 앨범 녹음에 집중했습니다.

잠깐, 방금
이 부분은 조금 더
감정을 실어서 강하게
불러야 해.

죄송합니다.
목이 불편해서요.

너희 힘든 거 알아.
하지만 어쩔 수 없다.
대중은 아주
냉정하거든.

팬들 앞에서
당당하려면 더욱더
완벽한 모습을
보여야 해.

네!

혁혁 혁

혁혁! 와, 장난 아니다.

열심히 준비하고는 있는데 저희를 싫어하진 않겠죠?

그러게. 정작 데뷔를 앞두고 있으니, 이젠 외면당할까 두려워.

데뷔하자마자 사라지는 그룹들도 많다던데……

그런 소리 하지 마. 분명, 우리가 흘린 땀만큼 사랑받을 수 있을 거야.

리더의 말을 들으니 힘이 난다. 마지막으로 한 번만 더 맞춰 볼까? 어서 일어나!

데뷔를 앞두고 더욱 강도 높아진 연습에 멤버들은 매일 녹초가 되었습니다. 하지만 데뷔라는 하나의 꿈을 향해 달려온 이들은 서로를 격려했고, 자신들을 기다리는 팬들을 생각하며 연습에 매진했습니다.

방탄소년단 일곱 멤버들은 앨범의 재킷 사진을 찍고, 첫 뮤직비디오를 촬영하며 본격적인 데뷔 준비를 하였습니다.

방탄소년단 데뷔 하루 전, 2013년 6월 12일. 방탄소년단의 데뷔 싱글 앨범 《2 COOL 4 SKOOL》를 발매하고 일지 아트 홀에서 데뷔 쇼케이스를 개최했습니다.

다음 날

6월 13일
방탄소년단

2013년 6월 13일, 방탄소년단은 꿈을 향한 힘찬 날갯짓을 시작했습니다.

방탄소년단의 성공 요인

K-pop의 대표 주자 방탄소년단의 성공 요인은 무엇일까요? 소셜 미디어의 활용, 화려한 퍼포먼스, 자신들의 목소리를 담은 메시지, 빅히트 엔터테인먼트의 기획력 등을 꼽을 수 있을 것입니다. 그러나 멤버들이 지닌 고유한 가치와 재능, 서로가 빚어내는 특별한 관계 등이 없었더라면 놀라운 성공을 이룰 수 없었을 거예요.

1. 훈훈한 인성과 반듯한 품행

2013년 방송된 SBS MTV '신인왕 방탄소년단-채널방탄'에서 방탄소년단이 연습생 시절부터 자주 갔던 식당을 찾았습니다. 식당 이모님은 "다른 애들과 달라서 예의 바르고 똑똑하다."라면서 방탄소년단의 인성에 대해 칭찬을 아끼지 않았답니다. 슈퍼스타로 성장한 방탄소년단은 여전히 수많은 아이돌의 롤 모델 자리를 지키고 있습니다. 눈부신 성공 이후에도 변함없는 훈훈한 인성과 반듯한 품행에 팬들은 감동할 수밖에 없습니다.

뛰어난 프로듀싱 능력을 갖춘 멤버 슈가 ⓒ 연합뉴스

2. 프로듀싱 능력과 끊임없는 노력

프로듀싱이란 음악 앨범을 제작하는 모든 과정을 책임지는 일입니다. 프로듀서라면 음악에 대한 이해와 음향에 대한 지식을 두루 갖추고 있어야 합니다. 방탄소년단의 슈가는 프로듀싱이 뛰어난 멤버 중 하나입니다. 열세 살 때부터 미디 작업을 시작했고, 작곡과 편곡을 익히면서 녹음과 음향 장비를 능숙하게 다룰 수 있게 되었다고 합니다. 고등학교 재학 시절에는 교가를 편곡하여 용돈을 벌었다는 슈가는 "천재가 아닌 나는 늘 노력해야 한다."라고 말했습니다. 재능을 끊임없이 갈고닦는 노력이야말로 방탄소년단의 완벽한 음악과 퍼포먼스를 만드는 원동력입니다.

3. 멤버들의 관계성

방탄소년단은 일곱 명이 함께 있을 때 가장
멋지지만 몇몇을 따로 놓고 보면 색다른 매력
과 인간미를 뿜어냅니다. 방탄소년단을 나이
로 구분하면 RM, 진, 슈가, 제이홉으로 뭉친
형 라인과 지민, 뷔, 정국으로 뭉친 막내 라인
으로 나눌 수 있습니다. 음악적 포지션으로는
진, 지민, 뷔, 정국이 속한 보컬 라인과 RM, 슈
가, 제이홉이 속한 랩 라인, 제이홉, 지민, 정

어느 멤버와 조합하느냐에 따라 그때마다 다른 매력을
뿜내는 방탄소년단 ⓒ 연합뉴스

국이 속한 댄스 라인(3J, 삼쉐이)이 있습니다. 이외에도 경상도 출신 95년생 동갑내기 지민
과 뷔의 조합을 뜻하는 구오즈, 슈가와 제이홉의 이름을 따서 만든 SOPE(숍, 화개장터) 등
다양한 조합으로 팬들과의 유쾌한 이야기를 만들어 가고 있습니다.

4. 독보적인 자신만의 세계관

방탄소년단은 음악을 통해 그들이 세상을 바라보는 방식, 독보적인 세계관을 단단하게 구
축하고 있습니다. 소년에서 청년으로 성장하는 과정에서 변하는 생각과 감정을 효과적으
로 드러내기 위해 영화나 고전 문학 작품을 읽습니
다. 앨범과 뮤직비디오 콘셉트의 모티브로 가져오
기도 합니다. 앨범 《WINGS》의 곡 구성과 뮤직비디
오는 헤르만 헤세의 성장 소설 《데미안》과 연결했
습니다. 이러한 시도는 동서양을 아우르며 공감을
얻었습니다.

이외에도 앨범 《LOVE YOURSELF 轉 'Tear'》는
《닥터 도티의 삶을 바꾸는 마술가게》에서, 2017년
발표한 앨범 《YOU NEVER WALK ALONE》에 수
록된 곡 '봄날'은 어슐러 K. 르 귄의 단편 소설 〈오
멜라스를 떠나는 사람들〉에서 영감을 받아 만들었
습니다.

헤르만 헤세 ⓒ 연합뉴스

5장

10대들의 대변인

방탄소년단은 데뷔 첫 무대를 성공적으로 마쳤습니다.

방송이 끝난 후, 멤버들은 무대 반응을 살펴보았습니다.

"노래는 괜찮은데, 팀 이름이 왜 저러지?"

"힙합? 회사에서 시키는 대로 노래 받아서 그냥 춤추는 거 아니야?"

우리가 아이돌 같지 않아 보인대.

이것도 다 관심이지. 노래는 좋다고 하니까 힘을 내자.

우리를 응원하는 팬들도 생겼어요. 저것 좀 보세요.

방탄소년단은 음악이나 미래 등 진지한 이야기를 올렸던 것과는 달리 또래 친구들처럼 친근한 모습을 화면에 담았습니다.

여기는 슈가 형의 작업실인데요, 새벽까지 작업하느라 피곤한 슈가 형은 지금 꿈나라네요. 큭큭!

뭘 보는 거야?

방탄소년단이라는 신인 그룹인데, SNS 활동이 엄청 활발해.

연예인이 아니라 꼭 옆집 오빠들 같다니까.

방탄소년단은 2013년 9월부터 방영하는 리얼리티 프로그램 '신인왕 방탄소년단'에 출연하게 되었습니다.

저희가 연습생 때 항상 여기를 다녔어요. 심지어 방학 때는 두 끼를 다 여기 와서 먹었다니까요.

이 프로그램은 기존의 예능 프로그램을 방탄소년단 멤버들이 도전하는 방식이었습니다. 신인 그룹 방탄소년단에게는 자신들을 대중에게 더 알릴 좋은 기회였습니다.

2013년 9월 11일, 방탄소년단의 첫 미니 앨범《O!RUL8,2?》가 발매되었습니다. 이 앨범은 가온 앨범 차트에서 4위를 기록했습니다.

2013년 9월 11일		
앨범 명	가수	제작사
1.		
2.		
3.		
4. O!RUL8,2?	방탄소년단	BIG HIT

* **가온 앨범 차트** 가수들의 앨범 판매량을 집계하여 1주일 간격으로 기록이 갱신되는 국내 차트

2013년 11월 14일, 서울 올림픽 체조 경기장에서 '2013 멜론 뮤직 어워즈'가 열렸습니다.

우리가 시상식에 오다니…… 꿈만 같아.

데뷔 후에는 꼭 저 자리에 앉아 있자고 다짐했는데, 우리가 신인상 후보가 되다니!

멤버들은 점점 높아지는 인기와 바쁜 스케줄 속에서도 연습을 게을리하지 않고,
완성도 높은 무대를 위해 더욱 열심히 연습했습니다.

헉!

헉!

안무가
갈수록 어려워지는
것 같아.

진 형! 그래도
팬들이 우리 안무를
좋아해 주니,

우리도
더 나은 모습을
보여 줘야죠!

BTS

더욱 바빠진 방송 스케줄과 앨범 준비 사이에서도 팬들과의 소통은 멈추지 않았습니다.

방탄소년단의 선한 영향력

방탄소년단은 자신들이 할 수 있는 게 별로 없다고 말합니다. 열심히 음악을 만들고 연습하는 것밖에 없다고요. 하지만 그들의 노래와 행동을 통해 세상은 조금씩 변하고 있습니다. 사람들은 방탄소년단을 보며 힘을 얻기도 하지요. 이는 방탄소년단의 선한 영향력을 대변합니다.

1. 세상을 바꾸는 힘

방탄소년단은 세계적인 스타가 된 후에 도 한국어로 된 노래를 부릅니다. 덕분 에 해외 팬들은 한국어를 배웁니다. 방 탄소년단의 음악과 콘셉트를 이해하려 고 팬들은 고전 읽기에도 주저함이 없습 니다.

방탄소년단은 청춘들의 고통을 어루만 지고 위로하는 음악을 통해 작지만 놀 라운 변화를 이끌고 있습니다. 세상

방탄소년단과 유니세프가 함께하는 캠페인 ⓒ 연합뉴스

을 바꾸는 그들의 발걸음은 성큼성큼 나아가고 있습니다. 방탄소년단은 2017년 11월부 터 국제 연합 아동 기금인 유니세프와 함께 '나를 사랑하자'라는 메시지를 담은 'LOVE MYSELF' 캠페인을 진행했습니다. "세상과 다른 사람을 사랑하려면 먼저 자기 자신을 사랑해야 한다는 믿음에서 이 캠페인을 시작했다."라고 말했습니다. 유니세프와 함께한 '#ENDviolence' 캠페인을 통해 전 세계 어린이들과 청소년들을 폭력으로부터 보호하 고 돕는 데 26억 원의 기금을 전달하며 지원 활동을 펼쳤습니다. 이 캠페인에는 아미 팬 들까지 열정과 힘을 보태며 더 큰 울림을 주었습니다.

선한 영향력을 전파하는 방탄소년단 ⓒ 연합뉴스

2. 개개인의 색깔을 담은 기부

방탄소년단 멤버들은 기부 형식으로도 세상을 바꾸는 데 동참하고 있습니다.

2019년 생일을 맞은 슈가는 소아암 백혈병을 앓는 어린이들을 위해 한국 소아암 재단에 성금 1억 원과 아이들에게 선물할 인형 329개를 함께 기부했습니다. 팬들도 아미의 이름으로 헌혈증 641장을 전달하며 뜻깊은 일에 함께했습니다. 소아암 환자들은 치료를 받는 동안 수혈을 받아야 하는 일이 많습니다. 팬들이 기증한 헌혈증은 수혈 비용을 덜어 주어 큰 도움이 된다고 합니다.

리더 RM은 소리를 듣는 데 어려움이 있는 청각 장애 학생들을 도왔습니다. RM은 "청각 장애 학생들이 다양한 방식으로 음악을 즐길 수 있기를 바란다."라며 청각 장애 특수 학교인 서울 삼성 학교에 1억 원을 전달하기도 했습니다. 이 후원금은 청각 장애 학생들의 음악 교육과 예술 공연 활동을 늘리는 데 쓰인다고 합니다.

진은 2018년 5월부터 매달 일정한 금액을 유니세프에 후원했습니다. 처음에는 주변에 기부 사실을 알리지 않았다고 합니다. 2019년 누적 기부금 1억 원을 넘기면서 '유니세프 아너스 클럽'의 회원이 되었습니다. 진은 '선한 영향력은 나눌수록 커진다'는 취지에 공감하고 유니세프 아너스 클럽 가입 소식을 밝혔습니다.

제이홉은 '그린 노블 클럽'의 회원입니다. 이는 초록우산어린이 재단에 1억 원 이상의 금액을 기부한 사람들의 모임입니다. 또, 2019년에는 자신의 생일을 맞아 모교의 저소득층 가정의 후배들을 위해 써 달라며 1억 원을 전달했습니다.

방탄소년단은 지금도 세상을 아름답게 바꾸는 일에 참여하고 있습니다. 음악뿐만 아니라 선한 영향력으로 세상의 편견과 억압을 깨뜨리고 있습니다.

그린 노블 클럽에 가입한 제이홉 ⓒ 연합뉴스

☆ 6장

네 꿈에 날개를 달아 봐!

2014년 2월 12일, '학교 3부작'의 마지막인 미니 앨범 2집 《Skool Luv Affair》가 발매되었습니다.

하루만~

2014년 3월 29일, 서울 올림픽 공원 올림픽 홀

방탄소년단 데뷔 10개월 만에 팬클럽 창단식 '2014 BTS: 1st Fan Meeting MUSTER'가 열렸습니다.

공식 팬클럽 이름은 'A.R.M.Y(아미)'로, 팬들이 신청한 이름 중
방탄소년단 멤버들이 직접 선택한 것이었습니다.

아미 여러분들, 저는 아직도 믿기지가 않습니다.

피땀 흘리며 연습을 하고 이 순간만을 기다렸는데……

현실이 되어 제가 마이크를 잡고, 여러분과 함께 대화를 나누고 있다는 게 너무 신기하고 꿈만 같습니다.

앞으로도 좋은 음악을 여러분께 들려 드리겠습니다.

이 무대의 주인공이신 아미 여러분!

정말 감사드리고 사랑합니다.

이후 일본에서의 활동도 시작해 2014년 6월 4일 발매한 일본 데뷔 싱글 앨범
《No More Dream (Japanese Ver.)》이 오리콘 싱글 주간 차트 8위에, 7월 16일
발매한 두 번째 싱글 앨범 《Boy In Luv (Japanese Ver.)》이 4위에 올랐습니다.

그리고 8월 20일,
첫 번째 정규 앨범
《DARK&WILD》를
발매했습니다.

와아~!

3일 동안 진행된 방탄소년단의 첫 콘서트 '2014 LIVE TRILOGY: EPISODE II. THE RED BULLET'은 성공적이었습니다. 서울 공연 이후에는 아시아 투어를 진행하여 해외 팬들과의 만남을 가지며 팬층을 더욱 두텁게 했습니다.

태형아, 뭐 보고 있어?

우리 콘서트 때 찍은 사진 보는구나.

오~

우리 평생 같이 걸어가자

그렇게 많은 아미들이 우릴 응원해 주고 있다니, 더 열심히 해야겠다는 생각이 들어.

행복한 콘서트였지?

빙긋~

응! 이제 시작이잖아. 더 발전해야지!

콘서트 이후 더 큰 인기를 얻게 된 방탄소년단은 앨범 활동을 이어 갔습니다.

우리가 지금까지 낸 앨범은 10대들의 학교생활에 대한 이야기였잖아?

이제 우리 또래 청춘들의 사랑이나 고민 같은 걸 이야기해 보면 어떨까?

좋은 생각이에요. 팬들과의 공감대도 형성될 수 있을 것 같아요.

그래. 우리 노래를 통해서 위로받고 용기를 얻는다면 더욱 좋겠어~

그럼 우리의 생각이 드러나면 더 좋을 것 같은데…….

곡 작업에 전원이 참여하는 거, 어때?

찬성! 그래야 더 진실성이 있으니까!

아, 나의 고민은 무엇인가…….

방탄소년단 멤버 전원은 곡을 만들거나 가사를 쓰는 등 앨범 작업에 참여했습니다.

이 부분에 아까 만들었던 멜로디를 넣어 보는 거 어때?

지인짜 좋아요, 형!

2015년 4월 29일, 방탄소년단의 세 번째 미니 앨범 《화양연화 pt.1》이 발매되었습니다.

방! 탄!

방! 탄!

방탄소년단
The 3rd mini album
화양연화
花樣年華
pt.1

2015년 5월 5일, 방탄소년단은 타이틀곡 'I NEED U'로 첫 1위를 수상하게 됩니다.

1위라니······.

사랑하는 아미,
감사합니다! 앞으로 더
열심히 하겠습니다!

방탄소년단의 뮤직비디오는 탄탄한 구성과 빼어난 영상미로
대중에게 공개될 때마다 화제가 되었습니다.

쩔어!

쩔어!

이번 뮤직비디오도
아주 잘 나왔군.

아이들의 실력이
엄청 늘었어요.

연습생 때부터 지금까지 매일 그렇게 연습을 하는데, 늘 수밖에 없긴 해요.

해외 SNS 반응과 투어 활동도 주시해야 해.

대단해! 도대체 얼마나 연습을 한 거야?

방탄소년단의 SNS 활동은 국내를 넘어 해외로도 자신들의 매력을 보여 주는 통로가 되었습니다.

오 마이 갓! 어쩜 이렇게 똑같이 맞춰서 춤을 출 수 있는 거야?

음악도 좋고, 퍼포먼스도 훌륭해! 한국에 이런 가수가 있다니!

방탄소년단은 해외 투어를 소화하며 그 인기를 실감했습니다.

뭐? 전석 매진이라고?

추가로 마련한 좌석도 곧바로 매진이라니!

우리가 이렇게 많은 사랑을 받고 있다니! 해외 투어도 잘해 내자!

호주 시드니에서 열린 콘서트는 예매 오픈 5분 만에 전석이 매진되었고, 이어진 브라질, 칠레 등의 콘서트에서도 전석이 매진되는 등 이를 통해 방탄소년단의 인기를 실감할 수 있었습니다.

11월 30일에 발매된 네 번째 미니 앨범 《화양연화 pt.2》의 타이틀곡 'RUN'은 국내 음악 방송에서 1위를 차지함은 물론, 빌보드 200 차트 171위에 오르며 빌보드에 처음으로 이름을 올렸습니다.

방탄소년단은 컴백과 함께 '화양연화 ON STAGE' 콘서트를 이어 가며 쉴 틈 없이 활동했습니다.

얼마 후, 무대에 서지 못했던 고베 콘서트 이후 자신의 부족함을
탓하던 슈가는 고베 월드 기념 홀을 찾았습니다.

그날 아미들의
감정이 느껴진다. 팬들의
사랑 앞에서 나는 한없이
부족한 사람이구나.

매 순간
감사하며 살겠습니다.
사랑합니다, 아미.

방탄소년단은 트위터, 유튜브, 페이스북, *VLive 등 다양한 SNS을 이용하여 자신들의 모습을
계속해서 공유했으며 팬들의 사랑에 보답하기 위해 쉬지 않고 달렸습니다.

쫌만 더
데파도~

따시지예~

까익~

화개장터

만다꼬

SNS

오물
오물

잇진

Pardon?

Pardon?

1분 영어

* VLive 포털사이트 네이버에서 제공하는 인기 연예인 라이브 방송 서비스로, 팬과 스타의 소통을 목적으로 함

2015년 연말 각종 시상식을 휩쓴 방탄소년단은 2016년 5월 2일에 스페셜 앨범 《화양연화 Young Forever》를 발표했습니다.

이 앨범은 빌보드 200 차트 107위에 올랐고, 수록곡 또한 월드 디지털송 차트에 이름을 올렸습니다.

그리고 그해 5월 7일, 올림픽 체조 경기장에서 네 번째 콘서트를 시작한 후 연이어 아시아 7개국 10개 도시에서 공연을 했습니다.

미국 3대 음악 시상식

미국은 세계에서 가장 규모가 큰 음악 시장입니다. 정상급 아티스트들이 활동하는 최전선이지요. 그동안 많은 선배 아이돌이 도전했지만 높은 벽을 실감해야 했습니다. 방탄소년단은 그 벽을 깨고 세계적인 아티스트들과 함께 미국 3대 음악 시상식에 올랐습니다. 그럼 미국 3대 음악 시상식에 대해 살펴볼까요?

1. 빌보드 뮤직 어워즈

빌보드 뮤직 어워즈는 미국 음악 잡지《빌보드》에서 후원하는 음악 시상식입니다. 1894년 11월 처음 발행된《빌보드》는 초창기 옥외 광고 시장, 고속도로나 길에 있는 큰 전광판이 어디에 있는지 위치를 알려 주는《빌보드 애드버타이징》이라는 잡지를 발행했어요. 이후 1913년부터 음악 관련 보도를 시작했습니

빌보드 뮤직 어워즈에 참석한 방탄소년단
ⓒ 연합뉴스

다. 1920년대에는 라디오 보도, 1930년대에는 주크박스(동전을 넣고 음악을 듣는 기계) 산업이 발전하면서 음악 차트(순위)를 발표합니다. 1961년《빌보드》는《빌보드 뮤직 위크》로 이름을 바꾸고 전문적으로 음악 산업을 다루기 시작했습니다. 1963년 잡지 이름을《빌보드》로 바꾸고 1990년부터《빌보드》주관으로 매해 5월 빌보드 뮤직 어워즈를 수여합니다. 시상 부문은 올해의 아티스트, 올해의 남자 가수, 올해의 여자 가수 등으로 나눕니다. 방탄소년단은 3년 연속 빌보드 뮤직 어워즈 '톱 소셜 아티스트'를 수상했고, 2019년에는 '톱/듀오 그룹' 부문까지 2관왕에 올랐습니다. 톱 소셜 아티스트 부문은 앨범 및 디지털 판매량, 스트리밍, 라디오 방송 횟수, 공연 및 소셜 참여 지수와 SNS 등을 통한 세계 팬들의 투표로 선정됩니다.

2. 그래미 어워즈

그래미 어워즈에 참석한 방탄소년단
ⓒ 연합뉴스

그래미 어워즈는 최고의 권위를 자랑하는 음악 시상식입니다. 1959년 5월 4일 열린 1회 대회를 시작으로 팝과 클래식을 아울러 우수 레코드, 앨범, 가곡, 가수, 편곡, 녹음, 재킷 디자인 등 총 43개 부문에서 시상합니다. 수상자는 음악인, 음반 사업자, 프로듀서, 스튜디오 기술자 등으로 구성된 나라스(Naras) 회원들의 투표로 결정됩니다. 회원들은 수상자를 결정할 때 앨범 판매량, 차트 순위와 같은 상업적인 성공 외에도 아티스트의 음악적인 역량, 예술성, 녹음 기술, 역사적 중요성 등을 반영합니다. 방탄소년단은 제61회 그래미 어워즈에서 '베스트 알 앤 비 앨범' 시상자로 나섰습니다.

3. 아메리칸 뮤직 어워즈

아메리칸 뮤직 어워즈에 참석한 방탄소년단
ⓒ 연합뉴스

한국인에게는 남다른 시상식입니다. 2012년 싸이가 '강남스타일'로 아메리칸 뮤직 어워즈 '뉴미디어 상'을 수상했습니다. 2018년에는 방탄소년단이 '페이보릿 소셜 아티스트' 부문 수상과 함께 하이라이트 무대를 꾸몄습니다. 연이어 2019년 '올해 가장 사랑받은 듀오&그룹' 부문과 '투어 오브 더 이어', '페이보릿 소셜 아티스트' 부문에서 수상했습니다. 아메리칸 뮤직 어워즈는 가장 영향력 있고 상징성 있는 아티스트를 선정하는 시상식입니다. 수상자는 음반과 음원 판매, 방송, 소셜 네트워크 활동성 등을 토대로 수상자를 선정합니다. 방탄소년단이 수상한 '페이보릿 소셜 아티스트' 부문은 아메리칸 뮤직 어워즈 홈페이지와 트위터 투표를 통해 선정됩니다. 전 세계 팬들의 사랑을 그대로 보여 주는 수상인 것입니다. K-pop의 새 역사를 쓰며 월드 스타의 반열에 오른 방탄소년단. 이제 그들은 독보적인 음악 콘셉트로 세계 음악의 역사를 새롭게 쓰고 있습니다.

✩ 7장

LOVE YOURSELF

힘은 들지만 아미들을 가까이에서 볼 수 있어서 좋아요.

그만큼 음악에 대한 노력을 게을리 해서는 안 돼.

다음 앨범에도 우리 모두가 곡 작업을 하자.

좋아! 그럼 개개인의 솔로곡을 넣는 건 어때?

멤버마다 가진 색이 다르니, 더 다양한 음악을 선보일 수 있을 거야.

으음

이 트랙 위에 어울리는 가사가 뭘까?

작업 잘되어 가?

멜로디도
스무 번씩 다시 써 봤는데
괜찮은지 모르겠어.

컴백을 앞두고
형들은 밤낮없이 작업에
매진하고 있어.

다음 날

헉 헉

정국아,
힘들어 보인다.
좀 쉬면서 해.

아뇨, 형 저는
안무 연습, 빡빡한 스케줄도
견딜 수 있어요.
다만……

제가 힘든 건 형들이 힘들어 하는 모습을 보는 거예요.

네 마음만으로도 고마워.

제가 형들에게 해줄 수 있는 게 없는 것 같아서…….

방탄소년단은 서로에게 의지하며 힘든 시간을 견뎌 냈습니다.

2016년 10월 10일, 방탄소년단은 두 번째 정규 앨범《WINGS》를 발매했습니다. 유혹을 만난 소년들의 갈등과 성장 이야기를 담은 이번 앨범에는 멤버 7인의 자전적인 내용을 담은 솔로곡까지 수록되었습니다.

김남준!

민윤기!

김석진!

정호석!

박지민!

김태형!

전정국!

BTS!

팬 송 '둘! 셋!'은 우리에게 전하는 방탄소년단의 진심이 담겨 있어!

정국 오빠가 방탄 형들에게 느꼈던 감정이 솔로곡 'Begin'을 통해 전해진다.

이 앨범은 가온 차트 '2016 앨범 차트' 1위를 차지하며 2016년 한국에서 최다 판매되는 기록을 세웠습니다.

2016년 11월 19일 고척 스카이돔, 멜론 뮤직 어워즈

무?

올해의 앨범상 수상자, 방탄소년단!

데뷔 후 최고의 상을 받는 것 같습니다.

아미! 감사합니다!

방탄소년단은 데뷔 4년 만에 처음으로 '올해의 앨범상'으로 대상을 수상하게 되었습니다.

2016년 12월 2일 홍콩 아시아 월드 엑스포 아레나,
엠넷 아시안 뮤직 어워즈

방탄소년단!

올해의 아티스트 상
수상자는······.

아미! 정말 꿈에 그리던 일을
현실로 만들어 주셔서 감사합니다.
저희 음악과 무대가 많은 분들에게
꿈과 희망이 되었으면
좋겠습니다.

ARMYs all over the world.
Let's fly with our beautiful wings
in 2017 as well.
BTS loves ARMYs as always.
Thank you very much.

와아—

와아—

방탄!

방탄!

진짜 열심히 하겠습니다.
감사합니다.

방탄소년단은 연말 시상식에서 연달아 대상을 수상하며,
그해 최고의 가수임을 입증했습니다.

연습생 때는 우리 음악을 이렇게 많은 사람들이 들어 줄지 몰랐어요.

받은 사랑만큼 앞으로 더 바쁘고 힘들어질 수도 있어.

그래도 지치지 말고 달려 보자.

2017년 2월 13일, 방탄소년단의 스페셜 앨범 《YOU NEVER WALK ALONE》이 발매되었습니다. 타이틀곡인 '봄날'은 미국 아이튠즈에서 8위에 오르며 대한민국 그룹 최초로 10위 안에 진입했습니다.

《WINGS》 앨범으로 활발하게 활동한 방탄소년단은 국내 공연을 시작으로 '2017 BTS LIVE TRILOGY: EPISODE III. THE WINGS TOUR'로 해외 공연을 이어 갔습니다.

국내와 해외를 오가며 활동하던 방탄소년단의 영향력과 인기는 날이 갈수록 커져 갔습니다.

형들!
소식 들었어요?

무슨 소식?

우리가 빌보드 뮤직
어워즈 톱 소셜 아티스트
후보에 올랐대요!

정말이야?

2017년 5월 21일, 미국 라스베이거스

한국 가수 최초로 후보에 올라 시상식에 초청된 방탄소년단과
경쟁할 가수는 세계적인 스타인 저스틴 비버, 셀레나 고메즈,
아리아나 그란데, 션 멘데스였습니다.

Top Social Artist

톱 소셜 아티스트 부문은 한 해 동안 집계된 앨범 및 디지털 음원 판매량,
라디오 및 공연, SNS 참여 횟수에 세계 팬들을 대상으로 한 투표를
합산하여 선정합니다.

2017년 9월 18일, 방탄소년단의 다섯 번째 미니 앨범이자 'LOVE YOURSELF' 시리즈의 첫 시작을 알리는 《LOVE YOURSELF 承 'Her'》가 발매되었습니다.

이 앨범은 국내에서만 137만 장을 판매, 국내를 비롯한 세계 여러 음악 차트에 이름을 올리며 방탄소년단이 세계적인 아티스트임을 다시 한번 보여 주었습니다.

2017년 11월 1일, 방탄소년단은 국제 구호 단체인 유니세프와 함께 캠페인을 시작했습니다.

저희가 받은 사랑을 음악이 아닌 또 다른 방식으로 돌려 드릴 수 있는 좋은 기회라고 생각합니다.

이번 캠페인을 통해 사회로부터 보호받지 못하는 친구들에게 조금이나마 위로와 힘이 되었으면 좋겠습니다.

앨범을 사면 기부도 하고 일석이조네! 방탄소년단 덕분에 우리도 좋은 일에 동참할 수 있게 되었어.

이 캠페인은 전 세계로 퍼져 나가, 헌혈 행사와 구호품 전달 등 다양한 형태로 진행되었습니다. 방탄소년단의 선한 영향력이 새로운 기부 문화를 이끈 것입니다.

방탄소년단은 2년 동안 'LOVE YOURSELF' 시리즈의 앨범 판매 수익 일부와 관련 상품들의 판매 수익을 기부하기로 했습니다.

LOVE MYSELF

BTS LOVE MYSELF

2017년 11월 19일(현지 시간)

방탄소년단은 빌보드와 함께 세계 3대 음악 시상식으로 꼽히는 '아메리칸 뮤직 어워즈(AMAs)'에 퍼포머로 오르게 됩니다.

미국 TV 데뷔, BTS!

2017년 11월 27일, 방탄소년단은 '엘렌 드 제너러스 쇼'에 초대를 받았습니다.

방탄소년단의 노래에 담긴 가사가 미국 청소년들에게도 큰 공감을 준 것 같아요.

언어와 문화가 다르더라도 전 세계에서 저희의 음악을 듣고 공감한다는 것이 좋습니다.

방탄소년단은 이 프로그램에서 방송 최초로 'MIC DROP' 무대를 선보였습니다. 'MIC DROP'은 빌보드 핫 100차트 28위에 올라 케이팝 그룹 중 가장 높은 순위를 기록했고, 다음 해 2월에는 미국 레코드 산업 협회의 골든디스크 인증을 받게 되었습니다.

이를 계기로 방탄소년단은 미국 프로그램에 출연하면서 이제는 명실상부한 글로벌 스타라는 것을 확인시켜 주었습니다.

RM 형, 빌보드 뮤직 어워즈랑 미국 방송에 출연한 게 현실 맞죠?

진짜 바쁘게 지낸 것 같아요.

그래서 우리는 항상 감사한 마음을 갖고 있어야 해.

세계 어디를 가더라도 우리가 이렇게 따뜻한 환대를 받을 수 있는 건 모두 아미 덕분이니까.

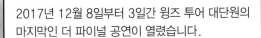

2017년 12월 8일부터 3일간 윙즈 투어 대단원의
마지막인 더 파이널 공연이 열렸습니다.

보라해!

방탄!

여러분.

"너희가 잘돼서 행복한데
내 삶은 아직 제자리라, 너희가 멀리
가는 것 같아서 마음이 불안하다." 라고
말씀해 주시는 분들이 계세요.

하지만 저희도
처음엔 저희를 믿지
못했어요.

전부 꼬질꼬질했고
저희가 잘될 수
있을 거라 생각하지
못했습니다.

그런 저희를
알아봐 주신
여러분이라면……

우리 함께라면,
사막도 바다가 돼

우리 함께라면,
사막도 바다가 돼

우리 함께라면,
사막도 바다가 돼

우리 함께라면,
사막도 바다가 돼

2018년 5월 22일, 방탄소년단은 전년에 이어 두 번째로 빌보드 뮤직 어워즈에 참석했습니다.

빌보드 톱 소셜 아티스트 상의 주인공은 바로……

BTS!

BTS!

와

여러분 덕에 저희의 말이 세상에 전파될 수 있다는 것을 깨달았습니다.

지금 이 무대를 보고 계시는 아미분들! 여러분이 저희를 계속 성장하고 꿈꿀 수 있게 합니다.

와!

와~아

방탄소년단은 국내외 일정을 소화하면서도 앨범 작업을 멈추지 않았습니다. 2018년 8월 24일에는 정규 3집 리패키지 앨범 《LOVE YOURSELF 結 'Answer'》을 발표했습니다. 'LOVE YOURSELF 起承轉結(기승전결)' 시리즈의 마지막 음반으로 이 앨범 또한 빌보드 200 차트 1위를 차지했습니다.

오오오오!

얼쑤!

2017년부터 유니세프와의 협약 캠페인을 진행해 온 방탄소년단은 2018년 9월 24일, 미국 뉴욕 UN 총회에서 연설을 했습니다.

또한, 10월 25일에는 제9회 대한민국 대중문화예술상에서 대중문화를 세계에 널리 알린 공로를 인정받아 최연소로 화관 문화 훈장을 받았습니다.

2019년 2월 10일, 방탄소년단은 그래미 어워즈에 시상자로 참석했습니다.

자라면서 그래미 무대 위에 서는 것을 항상 꿈꿔 왔습니다.

꿈을 이루게 해 주신 아미 여러분들께 감사드립니다.

이로써 방탄소년단은 한국 가수 최초로 미국 3대 음악 시상식에 전부 입성하게 되었습니다.

또다시 하나의 세계관을 완성한 방탄소년단은 8월 25일부터 이틀간 서울 잠실 종합 운동장 주 경기장에서 'LOVE YOURSELF' 서울 콘서트를 열었습니다.

공연장이 점점 더 커지네요. 꿈에 그리던 잠실 주 경기장입니다.

여러분께 더 좋은 모습을 보여 주기 위해 열심히 노력하겠습니다.

아미 여러분! 사랑해요!

서울을 시작으로 월드 투어를 시작하며 전 세계 팬들에게 메시지를 전했습니다.

2019년 4월 12일, 방탄소년단은 여섯 번째 미니 앨범이자 'LOVE YOURSELF' 시리즈를 잇는 새로운 이야기 《MAP OF THE SOUL : PERSONA》를 발매했습니다. 타이틀곡인 '작은 것들을 위한 시'는 전 세계 팬들에게 큰 관심을 불러일으켰습니다.

이 앨범은 타자와의 관계에서 드러내거나 감추는 자신의 모습을 고찰하며, '나는 누구인가'에 대한 자아를 찾는 메시지를 담았습니다.

BTS!

BTS!

새로운 앨범과 함께 방탄소년단의 'SPEAK YOURSELF' 월드 투어가 시작되었습니다. 6월에는 비틀즈, 마이클 잭슨, 마돈나 등이 공연한 영국 대중문화의 심장부로 불리는 공간인 영국 런던의 웸블리 스타디움에 입성했습니다.

ARMY!!!

방탄소년단은 웸블리 스타디움에서 단독 공연한 첫 한국 그룹이며, 이 공연은 전 세계에 생중계되었습니다.

대한민국을 대표하는 국민 아이돌 방탄소년단의
영향력은 국내를 넘어 세계로 뻗어 나가고 있습니다.

언어가 달라도 방탄소년단의 음악은 사람들의 지친 마음을 위로해 주었으며, 날개가 되어 주는
아미들의 동반자로서 방탄소년단은 세계 곳곳에 그들의 희망찬 메시지를 전달하고 있습니다.

방탄소년단의 이야기,
모두 재미있게 읽었나요?
특별 부록에서는 방탄소년단에 대한 재미있고
다양한 코너가 준비되어 있어요.
마지막 페이지까지 가다 보면,
어느새 방탄소년단과 무척 가까워진 자신을
발견하게 될 거예요!

특별 부록

RM

- ♥ **이름:** 김남준(金南俊)
- ♥ **생년월일:** 94. 9. 12.
- ♥ **별자리:** 처녀자리
- ♥ **출신지역:** 경기도 일산
- ♥ **키:** 181cm
- ♥ **혈액형:** A형
- ♥ **애칭:** 아렘, 김데일리, 낮누, 뇌섹남, 파괴몬

나와 나의 여러분은 결국 이길 것이다.
아무도 모르는 새 아주 자연스럽게.

JIN

- ♥ **이름:** 김석진(金碩珍)
- ♥ **생년월일:** 92. 12. 4.
- ♥ **별자리:** 사수자리
- ♥ **출신지역:** 경기도 과천
- ♥ **키:** 178cm
- ♥ **혈액형:** O형
- ♥ **애칭:** 월드 와이드 핸섬, 막내, 잇진, 잘생겼진,
  차문남, 어깨미남

앞으로도 수고를 굉장히 많이 할 테지만,
너의 수고 내가 알고 있으니까
너 자신의 수고는 너 자신만 알면 돼.

SUGA

♥ **이름:** 민윤기(閔玧其)

♥ **생년월일:** 93. 3. 9.

♥ **별자리:** 물고기자리

♥ **출신지역:** 대구광역시

♥ **키:** 174cm

♥ **혈액형:** O형

♥ **애칭:** 민슈가, 민윤기천재짱짱맨뿡뿡, 민군주,
　　　슙기력, 민설탕, 민피디

구름 위는 항상 행복할 줄 알았는데,
아래를 보니 때론 두렵기도 하네요.
우리 함께 날고 있음에 용기를 얻습니다.
추락은 두려우나 착륙은 두렵지 않습니다.

J-HOPE

- ♥ **이름**: 정호석(鄭號錫)
- ♥ **생년월일**: 94. 2. 18.
- ♥ **별자리**: 물병자리
- ♥ **출신지역**: 광주광역시
- ♥ **키**: 178cm
- ♥ **혈액형**: A형
- ♥ **애칭**: 호비, 쩨이홉, 정희망, 희망이, 야호바, 호발이, 호시기

나는 여러분들의 HOPE~
여러분들은 나의 HOPE~
제 이름은 J-Hope!

JIMIN

- ♥ **이름**: 박지민(朴智旻)
- ♥ **생년월일**: 95. 10. 13.
- ♥ **별자리**: 천칭자리
- ♥ **출신지역**: 부산광역시
- ♥ **키**: 173cm
- ♥ **혈액형**: A형
- ♥ **애칭**: 쥐민쒸, 망개떡, 침침, 천사,
  강양이, 333, 모찌섹시

괜찮아 하면서 웃는 거 말고 진짜 행복해서
웃는 거 있잖아요. 그런 일들만 여러분한테
가득했으면 좋겠어요.

V

- ♥ **이름:** 김태형(金泰亨)
- ♥ **생년월일:** 95. 12. 30.
- ♥ **별자리:** 염소자리
- ♥ **출신지역:** 대구광역시 & 경상남도 거창
- ♥ **키:** 178cm
- ♥ **혈액형:** AB형
- ♥ **애칭:** 태태, 뷔밀병기, CGV, 김스치면인연, 아차산꼬질이, Vante

보라색은 상대방을 믿고 서로서로 오랫동안 사랑하자는 의미인데요. 저는 그 뜻처럼 영원히 오랫동안 이렇게 함께 볼 수 있었으면 좋겠습니다.

JUNG KOOK

♥ **이름:** 전정국(田柾國)

♥ **생년월일:** 97. 9. 1.

♥ **별자리:** 처녀자리

♥ **출신지역:** 부산광역시

♥ **키:** 178cm

♥ **혈액형:** A형

♥ **애칭:** 황금막내, 꾹이, 전정구기, 노츄, 전씨걸, 하와이꼬질이, JK(제이케이)

먼 미래, 지나가는 우리의 시간들을 보며 웃을 수 있기를.

BTS & ARMY

♥ **그룹 명:** 방탄소년단, 防彈少年團,

BTS(Bulletproof boyscout, Beyond The Scene),

인터내셔널 팝케이 센세이션 선샤인 레인보우

트레디셔널 트랜스퍼 USB허브 쉬림프 BTS

♥ **생일:** 2013. 6. 13.

♥ **멤버:** RM, 진, 슈가, 제이홉, 지민, 뷔, 정국

♥ **콘텐츠를 즐길 수 있는 채널:** 공식 팬 카페, 트위터,

유튜브, 브이앱, 위버스, 위플리

♥ **팬 클럽 명:** A.R.M.Y. [아미]

♥ **뜻:** ARMY는 영어로 군대라는 뜻. 방탄복과 군대는

항상 함께하므로 가수와 팬이 언제나 함께한다는 의미.

Adorable Representative M.C. for Youth

♥ **창단식:** 2014. 3. 29.

" **전 세계에서 사랑받고 있는 방탄소년단!** "

그들에게 아낌없는 사랑을 주고 있는 ARMY 여러분!

아래의 퀴즈를 풀면서 방탄소년단을 더 알아가 보아요.

① 방탄소년단의 데뷔 일은 언제인가요?

① 2013년 6월 12일　　　　　② 2013년 6월 13일

③ 2013년 6월 14일　　　　　④ 2013년 6월 15일

② 방탄소년단의 정규 2집 앨범 《WINGS》에 포함된 곡이 아닌 것은 무엇인가요?

① Intro: Boy Meets Evil　　　② BTS Cypher 4

③ Am I Wrong　　　　　　　④ 22세기 소녀

③ 방탄소년단의 숙소 입소 순서가 올바른 것은 무엇인가요?

① RM-슈가-제이홉-정국-뷔-지민-진

② RM-진-슈가-정국-제이홉-뷔-지민

③ RM-슈가-제이홉-진-정국-뷔-지민

④ RM-제이홉-슈가-정국-뷔-지민-진

④ 방탄소년단 썸머 패키지의 연도와 여행지가 맞지 않은 것은 무엇인가요?

① 2019년 완주　　　　　　② 2015년 코타키나발루

③ 2018년 팔라완　　　　　④ 2016년 두바이

5 BANGTAN BOMB 영상 중 '방탄도령단-Danger(危險)' 영상에서 모자가 흘러내려 가거나 벗겨지지 <u>않은</u> 멤버는 누구인가요?

① 슈가 　　　 ② 지민 　　　 ③ 정국 　　　 ④ 뷔

6 방탄소년단의 래퍼 라인이 참여하지 <u>않은</u> 곡은 무엇인가요?

① BTS Cypher PT.3 : KILLER 　　　 ② Tear

③ 전하지 못한 진심 　　　 ④ BTS Cypher PT.2 : Triptych

7 BANGTAN BOMB 영상 중 할로윈 버전 '21세기 소녀'에서 담당한 역할과 멤버가 <u>잘못된</u> 것은 무엇인가요?

① 지민 - 배추 　　 ② 정국 - 토끼 　　 ③ 진 - 카우보이 　　 ④ 제이홉 - 선비

8 '달려라 방탄!(ep.86)' 한글과 관련된 문제를 풀어 끈끈이를 얻는 편 중, 문제를 풀다가 아버지와 접신한 멤버가 적은 답이 <u>아닌</u> 것은?

① 저기 참새가 많다

② 아무도 모르게 남몰래 혼자 열심히

③ 가을을 기다리고

④ 한라산만큼 바다만큼 높고 넓다

9 방탄소년단 멤버와 협업을 하지 <u>않은</u> 사람은 누구인가요?

① 조성진 　　 ② 이소라 　　 ③ Halsey 　　 ④ Wale

아래의 초성 가사에 해당하는 곡의 제목은 무엇인가요?

ㅇ ㄴ ㄱ ㄴ ㅇ ㅍ ㅇ ㅅ ㄷ ㅇ ㄴ ㅈ ㅁ ㅂ ㅇ ㅎ ㅎ ㄴ ㄱ ㅇ

① A Supplementary Story : You Never Walk Alone

② HOME

③ 둘! 셋! (그래도 좋은 날이 더 많기를)

④ Outro : Wings

 다음 보기 중 곡 제목과 해당 곡을 부른 멤버가 일치하지 <u>않는</u> 것은 무엇인가요?

① 약속 - 지민
② 풍경 - 뷔
③ 이 밤 - 진
④ 어긋 - 정국

 2017년 발표한 '봄날'의 응원법에 속하는 것이 <u>아닌</u> 것은 무엇인가요?

① 보고 싶다
② 방탄뿐이야
③ 널 보게 될까
④ 데리러 갈게

 '달려라 방탄!(ep.33)' 중 타이머에 맞춰 포토 존 안으로 점프하여 순간 포착하는 게임에서, 꼴찌하는 멤버가 자신의 차례에 게임을 하면서 한 말이 <u>아닌</u> 것은?

① 안 들릴 수 있으니까 조용히 해 줘.

② 이것은 내 키의 문제 아니야?

③ 우리를 위해서라도 제발 조용히 해 줘.

④ 점프 우리 2번씩 한다고!

다음 중 방탄소년단 멤버의 활동 명과 생년월일이 일치하지 <u>않는</u> 것은 무엇인가요?

① 제이홉 – 94. 2. 18.　　　　　　② 슈가 – 93. 3. 8.

③ 뷔 – 95. 12. 30.　　　　　　　　④ 진 – 92. 12. 4.

 2018년 5월 30일, 방탄소년단이 'FAKE LOVE'로 '빌보드 핫 100' 차트에 이름을 올립니다. 해당 곡이 차트에 처음 진입한 순위는 무엇인가요?

① 8위　　　　② 10위　　　　③ 23위　　　　④ 101위

 2016년 6월, 'BTS 꿀 FM 06.13'에서 나왔던 정국의 질문 '현재 지갑에 들어 있는 현금은 얼마인가?'에 대한 진의 대답은 무엇인가요?

① 9만 8백 원, 5유로　　　　　　② 2만 7천 원

③ 9만 1천 원　　　　　　　　　　④ 7만 9백 원, 9달러

 본보야지 몰타 편에서 늦게 합류하게 된 뷔의 영상 편지를 보고 지민이 한 말입니다. 빈칸에 알맞은 것을 순서대로 넣은 것은 무엇인가요?

한 명이라도 없으면 ○○ 여행, 7명 모두가 있어야 ○○ 여행

① 자유, 우정

② 우정, 자유

③ 해외, 국내

④ 국내, 해외

아무행알!
아포방포!

RM 숲

위치: 잠실 한강 공원 만남의 광장 시계탑 부근

나무를 좋아하고 환경 문제에 관심이 많은 RM의 26번째 생일을 기념하여 아미들과 서울 환경 운동 연합이 함께 추진하여 만든 숲입니다. 미세 먼지를 줄이고 기후 변화 대응을 위해 조팝나무 1,200그루를 심어 조성되었습니다.

이외에도 방탄소년단의 선한 영향력을 팬들이 이어받아 기부에 동참하는 등 사회 곳곳에 선한 영향력을 전하고 있습니다.

향일암

위치: 전라남도 여수시 돌산읍

삼국 시대 원효 대사가 만들었다고 전해지는 향일암은 방탄소년단의 멤버 RM이 방문하고 아미들 사이에서 더욱 유명해진 곳입니다. RM은 눈을 가리고 있는 천진불 옆에서 같은 자세를 취하고 사진을 찍어 트위터에 올렸지요. 귀여운 RM의 모습에 아미들 역시 향일암에 방문하여 같은 자세로 사진을 찍으며 성지 순례를 하고 있습니다. 향일암은 일출 명소로도 잘 알려져 있습니다.

© 연합뉴스

향호 해변 버스 정거장

위치: 강원도 강릉시 주문진

향호 해변을 들어 본 적이 있나요? 주문진 해수욕장은 많이 들어 봤을 거예요. 주문리쪽 해변을 주문진 해변이라고 하고 향호리쪽 해변을 향호 해변이라고 부른다고 합니다. 이곳이 바로 방탄소년단의 스페셜 앨범《YOU NEVER WALK ALONE》의 재킷 촬영지로 알려진 버스 정거장이 위치한 곳입니다.

실제로 존재하는 버스 정거장에서 찍은 게 아니라 방탄소년단의 촬영을 위해 설치되었던 구조물이지요. 촬영 후에는 곧바로 철거했기 때문에 향호 해변에 방문해도 볼 수 없었답니다. 하지만 강릉시에서 관광객을 위해 버스 정거장을 재현하여 다시 설치했어요. 팬들을 위해 세트장을 다시 설치하다니 방탄소년단의 인기를 실감할 수 있겠죠?

일영역 플랫폼

위치: 경기도 양주시 장흥면 삼상리

방탄소년단의 스페셜 앨범《YOU NEVER WALK ALONE》의 타이틀 곡인 '봄날'의 뮤직비디오 촬영 장소입니다. 눈이 소복하게 쌓인 역에서 기차를 기다리는 뷔의 모습을 담아낸 장소가 일영역입니다. 뮤직비디오가 공개된 이후 한국으로 겨울 여행을 하러 오는 외국 관광객도 많아졌다고 합니다. 일영역은 서울 교외선에 있는 기차역으로 벽제역과 장흥역 사이에 있습니다. 2004년 여객 열차의 운행이 종료된 이후부터는 화물 열차만 오가고 있습니다.

라인프렌즈 플래그십 스토어

위치: 서울 용산구 이태원로, 서울 마포구 양화로 외

방탄소년단과 라인프렌즈의 협업으로 탄생한 캐릭터, BT21의 캐릭터 숍입니다. BT21 캐릭터는 방탄소년단 멤버들이 직접 캐릭터를 스케치하고 특징을 구체화하는 등 캐릭터 탄생의 전 과정에 참여했습니다. RM의 '코야', 진의 '알제이', 슈가의 '슈키', 제이홉의 '망', 지민의 '치미', 태형의 '타타', 정국의 '쿠키' 그리고 아미를 형상화한 '반'까지 총 여덟 개의 캐릭터로 이루어져 있습니다. BT 행성의 왕자 타타는 지구에 불시착하게 되고 사랑을 전파하기 위해 여섯 명의 멤버를 만나 우주 최고 스타를 꿈꾸는 BT21을 만들게 된다는 스토리 라인을 갖고 있습니다. 다양한 캐릭터 상품을 출시하면서 아미들에게도 큰 호응을 얻고 있습니다.

담양 메타세쿼이아길

위치: 전라남도 담양군 담양읍 학동리

2019년 3월 방탄소년단의 리더 RM이 트위터에 올린 담양 여행 사진으로 인해 많은 아미들이 메타세쿼이아길을 방문하고 있습니다. 담양의 메타세쿼이아길은 국내 최대 규모로, 2002년에 산림청으로부터 '가장 아름다운 거리 숲'으로 선정되기도 했습니다. RM의 흔적을 따라가기 위해 전국 곳곳에서 이곳을 찾는 관광객은 더욱 많아질 것으로 예상됩니다.

경춘선 숲길

**위치: 6호선 화랑대역 2번 출구,
1호선 월계역 4번 출구, 경춘선 갈매역 2번 출구**

경춘선은 일제 강점기에 우리 민족 자본으로 만들어진 철길입니다. 이후 폐선되면서 관리가 잘되지 않았습니다.

경춘선 숲길은 방치되었던 경춘선을 2013년부터 서울시에서 숲길로 조성하기 시작한 곳입니다. 1단계부터 3단계까지 6km에 달하는 전체 구간의 연결이 완공된 건 2019년 5월입니다. 마지막으로 개통된 3단계 구간은 자연과 함께 과거로 여행하는 느낌을 즐길 수 있는 장소로 인기를 끌고 있습니다. 경춘선 숲길 화랑대역 부근을 방문하면 RM이 사진을 찍었던 장소도 발견할 수 있습니다. RM의 사진을 참고하여 해당 자리에 발자국 모양을 넣어, 관광객들이 방탄소년단의 흔적을 느낄 수 있도록 해 두었습니다.

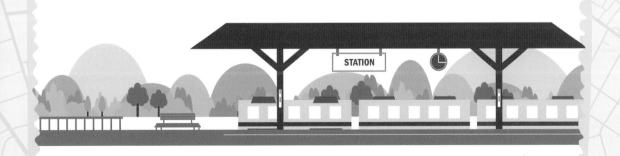

STATION

2013. 6. 12.	싱글 앨범《2 COOL 4 SKOOL》발매. 데뷔 쇼케이스 개최
2013. 6. 13.	데뷔
2013. 9. 11.	미니 앨범 1집《O!RUL8,2?》발매
2013. 11. 14.	멜론 뮤직 어워즈에서 첫 신인상 수상
2014. 2. 12.	미니 앨범 2집《Skool Luv Affair》발매
2014. 3. 29.	첫 번째 팬 미팅이자 팬클럽 창단식〈2014 BTS: 1st Fan Meeting MUSTER〉개최
2014. 5. 14.	미니 앨범 2집 리패키지《SKOOL LUV AFFAIR SPECIAL ADDITION》발매
2014. 6. 4.	일본 싱글《No More Dream (Japanese Ver.)》로 일본 데뷔
2014. 8. 20.	정규 앨범 1집《DARK&WILD》발매
2014. 10. 17.	첫 단독 콘서트〈BTS LIVE TRILOGY: EPISODE II. THE RED BULLET〉개최
2015. 3. 28.	〈BTS LIVE TRILOGY: EPISODE I. BTS BEGINS〉콘서트 개최
2015. 4. 29.	미니 앨범 3집《화양연화 pt.1》발매
2015. 5. 5.	SBS MTV《더 쇼》'I NEED U'로 첫 음악 방송 1위
2015. 5. 8.	KBS《뮤직뱅크》'I NEED U'로 첫 지상파 1위
2015. 11. 27.	〈BTS LIVE 화양연화 ON STAGE〉콘서트 개최
2015. 11. 30.	미니 앨범 4집《화양연화 pt.2》발매
2015. 12. 7.	빌보드 200 차트 첫 진입
2016. 1. 24.	〈BTS 2ND MUSTER [ZIP CODE : 22920]〉팬 미팅 개최
2016. 5. 2.	스페셜 앨범《화양연화 YOUNG FOREVER》발매
2016. 5. 7.	〈BTS LIVE 화양연화 ON STAGE : EPILOGUE〉콘서트 개최, 체조 경기장 첫 입성
2016. 10. 10.	정규 앨범 2집《WINGS》발매
2016. 11. 12.	〈BTS 3RD MUSTER [ARMY.ZIP+]〉팬 미팅 개최
2016. 11. 19.	멜론 뮤직 어워즈에서 첫 대상 수상
2017. 2. 13.	스페셜 앨범《YOU NEVER WALK ALONE》발매
2017. 2. 18.	〈2017 BTS LIVE TRILOGY: EPISODE Ⅲ. THE WINGS TOUR〉콘서트 개최

2017. 5. 21.	빌보드 뮤직 어워즈 '톱 소셜 아티스트' 첫 수상(현지 시간)
2017. 8. 16.	'LOVE YOURSELF Highlight Reel 起' 공개
2017. 9. 18.	미니 앨범 5집《LOVE YOURSELF 承 'Her'》발매
2017. 9. 26.	빌보드 핫 100 차트 첫 진입
2017. 11. 19.	아메리칸 뮤직 어워즈 공연, 미국 지상파 TV 방송 데뷔(현지 시간)
2017. 12. 8.	〈2017 BTS LIVE TRILOGY: EPISODE Ⅲ. THE WINGS TOUR THE FINAL〉 콘서트 개최
2018. 1. 13.	〈BTS 4TH MUSTER [Happy Ever After]〉팬 미팅 개최
2018. 5. 18.	정규 앨범 3집《LOVE YOURSELF 轉 'Tear'》발매
2018. 8. 24.	정규 앨범 3집 리패키지《LOVE YOURSELF 結 'Answer'》발매
2018. 8. 25.	〈BTS WORLD TOUR LOVE YOURSELF〉콘서트 개최, 잠실 종합 운동장 올림픽 주 경기장 첫 입성
2018. 9. 24.	뉴욕 UN 본부 '유니세프 청년 어젠다 제너레이션 언리미티드' 행사 연설(현지 시간)
2018. 11. 6.	지니 뮤직 어워즈에서 첫 인기상 수상
2018. 11. 15.	영화《번 더 스테이지: 더 무비》개봉
2019. 1. 26.	영화《러브 유어 셀프 인 서울》개봉
2019. 2. 10.	그래미 어워즈 베스트 R&B 앨범 부문 시상(현지 시간)
2019. 4. 12.	미니 앨범 6집《MAP OF THE SOUL : PERSONA》발매
2019. 5. 1.	빌보드 뮤직 어워즈 본상 '톱 듀오/그룹' 첫 수상
2019. 5. 4.	〈BTS WORLD TOUR LOVE YOURSELF: SPEAK YOURSELF〉 한국 가수 최초로 월드 스타디움 투어 개최
2019. 8. 7.	영화《브링 더 소울: 더 무비》개봉
2019. 10. 26.	〈BTS WORLD TOUR LOVE YOURSELF: SPEAK YOURSELF [THE FINAL]〉 콘서트 개최
2019. 11. 24.	아메리칸 뮤직 어워즈 '팝·록 부문 페이보릿 듀오/그룹', '투어 오브 더 이어', '페이보릿 소셜 아티스트' 수상(현지 시간)

저는 BTS의 리더 RM, 김남준입니다.
젊은 세대에게 아주 중요한 이 자리에 초대해 주셔서 영광입니다.

작년 11월, BTS는 유니세프와 함께 'Love Myself' 캠페인을 시작했는데요, 진정한 사랑은 자신을 사랑하는 것으로부터 시작된다는 믿음에서 비롯된 캠페인이었습니다. 전 세계 폭력으로부터 어린이와 청소년을 보호하기 위한 유니세프의 폭력 근절 프로그램에 저희 BTS는 함께해 왔습니다. 이에 저희 팬들은 열정과 행동으로 이 캠페인의 중심을 담당했습니다. 정말 최고의 팬들이죠.

이제 제 이야기를 해 드리고자 합니다. 저는 대한민국 서울 근교 일산이라는 도시에서 태어났습니다. 호수와 언덕이 있고, 매년 일산 꽃 박람회가 열리는 아름다운 곳이죠. 저는 행복한 어린 시절을 보낸 평범한 아이였습니다. 두근거리는 마음으로 밤하늘을 쳐다보았고, 남자아이가 할 만한 공상을 하며 지냈습니다. 세상을 구하는 영웅이 되는 상상도 곧잘 했죠.

저희 초창기 앨범 곡의 인트로에 다음과 같은 가사가 있습니다. "9살 아니면 10살 때쯤 내 심장은 멈췄지." 돌이켜 보면 그 당시 전 남의 눈을 의식하며 타인의 시선으로 저 자신을 보기 시작했던 것 같습니다. 더 이상 밤하늘과 별을 쳐다보지 않았고 공상도 하지 않았죠. 대신 다른 사람들이 만들어 둔 틀에다 저 자신을 끼워 맞추려 애썼습니다. 제 목소리는 지워 버린 채 다른 사람들의 목소리에만 귀를 기울이게 되었어요. 아무도 제 이름을 불러 주지 않았습니다. 저조차도요. 더 이상 설레지 않았고, 저 자신에 대해 아무것도 보려 하지 않았습니다. 이렇게 저는, 우리 모두는 자신의 이름을 잃어버렸습니다. 유령이 되어 버린 거예요.

그런 저의 유일한 안식처는 음악뿐이었습니다. 제 안에 작은 목소리가 들려왔습니다. "깨어나. 너자신에게 귀를 기울여." 하지만 제가 진짜 하고 싶은 것은 음악이라는 사실을 알아채기까지 꽤 오랜 시간이 걸렸습니다. 심지어 BTS에 합류하기로 결정한 후에도 쉽지 않았죠. 믿지 않는 분들도 계시겠지만, 대부분의 사람들이 우리를 가망 없다고 생각했기에, 그냥 다 포기하고 싶을 때도 있었습니다. 그때 그만두지 않은 것이 참 다행입니다. 그리고 앞으로도 저희는 이렇게 넘어지고 흔들리곤 하겠죠.

BTS는 이제 대규모 스타디움에서 공연을 하고 수백만 장의 앨범을 판매하는 아티스트가 되었지만, 저는 여전히 24살 평범한 청년입니다. 제가 뭔가 이룬 것이 있다면 그건 모두 BTS 멤버들이 제 곁에 있어 주었고, 전 세계 아미 팬들이 사랑과 응원을 보내 주었기에 가능했습니다.

어제 실수했을지언정 실수한 저도 여전히 저 자신입니다. 그 잘못과 실수도 함께 오늘의 저를 이룬 것이죠. 내일은 어쩌면 조금 더 현명해져 있을지도 모르겠는데, 그 또한 저 자신일 겁니다. 이 모든 잘못과 실수들이 모여 지금의 제가 되었고, 그 실수들은 제 삶의 별자리에서 가장 밝게 빛나는 별이 되었습니다. 이제 저는 과거의 저와 현재의 저, 그리고 미래의 저 자신을 모두 사랑하게 되었습니다.

마지막으로 드리고 싶은 말씀이 있습니다. 《LOVE YOURSELF》 앨범을 발매하고 'Love Myself' 캠페인을 시작한 이후 저희는 전 세계 팬들로부터 놀라운 이야기를 듣게 되었습니다. 그들이 삶의 어려움을 극복하고 자신을 사랑하는 데 있어 저희의 메시지가 어떻게 도움이 되었는지 말이죠. 그런 이야기를 들을 때마다 더욱 책임감이 생깁니다.

그러니 한 걸음 더 나아가 봅시다. 자신을 사랑하는 법을 배웠으니, 이제 스스로에 대해 말해 보세요. 여러분 모두에게 묻고 싶습니다. 여러분의 이름은 무엇입니까? 무엇을 할 때 흥분되고 가슴이 설레십니까? 여러분의 이야기를 들려주세요. 저는 여러분 자신이 확신하는 스스로에 대해 듣고 싶습니다. 여러분이 누구건, 지역, 인종, 성 정체성에 상관없이 그냥 여러분 자신에 대해 말하세요. 자기가 생각하는 자신에 대해 말함으로써 스스로의 이름과 목소리를 찾으시길 바랍니다.

저는 김남준이며 BTS의 RM입니다. 아이돌 가수고, 한국의 작은 도시 출신의 아티스트입니다. 많은 사람들처럼 저도 살면서 수많은 시행착오를 겪었습니다. 잘못한 일도 많았고 두려운 건 더 많습니다. 하지만 저 자신을 있는 힘껏 안아 주면서 천천히, 조금씩 저 자신을 더 사랑하려 합니다.

당신의 이름은 무엇입니까?
자신이 생각하는 스스로에 대해 말해 주세요.

고맙습니다.

"우리가 함께~♥♥
해 온 모든 시간들"